Red

cynnwys

Paratowyd y gyfrol hon gan
Eleri Davies.

Dymunir diolch i'r awduron y
cynhwysir eu storïau yr y gyfrol hon.

Diolchir i Margaret Pritchard a
Cynllun Gorwelion am yr hawl i
gynnwys y stori *Caru Mewn Mwgwd*.

Diolchir i Margiad Roberts a Gwasg
Gomer/Llys yr Eisteddfod am yr hawl
i gynnwys y stori *Malcym*.

Diolchir i Marc Jones am yr hawl i
gynnwys y stori *Y Clown*.

Mae Uned Iaith Genedlaethol Cymru
yn rhan o WJEC CBAC Cyf., cwmni a
gyfyngir gan warant ac a reolir gan
awdurdodau unedol Cymru.

Cyhoeddwyd gan
Wasg Gomer
Llandysul
Ceredigion SA44 4BQ

Dyluniwyd gan
Tracy Davies

Argraffwyd gan
Wasg Gomer

ystyried crefft y stori fer

cyflwyniad

AR GYFER PWY?

- Cynlluniwyd y llyfr yn bennaf ar gyfer di sgyblion Cyfnodau Allweddol 3 a 4 sy'n astudio'r stori fer yn y dosbarth neu ar gyfer arholiad T.G.AU.

- Gallai'r llyfr fod yn berthnasol i anghenion disgyblion Cymraeg Ail-iaith yn y chweched dosbarth.

- Bwriadwyd y llyfr ar gyfer ystod eang o allu.

BWRIAD Y LLYFR

- Hwyluso'r gwaith o astudio'r stori fer drwy gyfrwng canllawiau a thasgau penodol.

- Wrth ystyried a thrafod y gwahanol dechnegau, helpu'r disgyblion i ddeall hanfodion stori fer.

- Rhoi cyfle i ddisgyblion drafod a dadansoddi tair stori benodol.

- Cynnig tasgau ymarferol a allai fod yn ddefnyddiol yn y dosbarth wrth astudio storïau byrion.

- Cyflwyno nifer o dasgau/canllawiau cyffredinol y gellir eu defnyddio gydag unrhyw stori fer.

Mae stori fer yn...

agor yn uniongyrchol

arbennig o gynnil yn cynnwys llawer dan yr wyneb

cynnwys cymeriadau arbennig/pobl gyffredin/anghyffredin

canolbwyntio ar un adeg/profiad

cynnwys dechrau canol a diwedd

edrych ar brofiad mewn ffordd arbennig

cynnwys tro ar y diwedd weithiau

cyflwyno profiad syml cyfarwydd

tewi nid gorffen

cynnwys nid syniad am stori ond syniad am fywyd

ceisio datrys rhyw agwedd/broblem

Barn Kate Roberts

Mân donnau ar wyneb llyn yw fy storïau i, ond mae cynnwrf ar eu gwaelod.

Fe ddwedai rhyw reddf nad llwyfan i weddi oedd stori.

Fe ddylai fod rhyw nawfed ton er i'r tonnau eraill gael digon o sylw.

Weithiau cofio am rywbeth a ddigwyddodd ym mywyd rhywun a gweld ynddo ddigon o bwysigrwydd i sgrifennu stori fer.

Rhoddais sylw mawr i frawddegau a geiriau, ceisio cael y gair iawn i fynegi'r peth a fynnwn.

Eu mowldio yn fy mhair fy hun a rhoi fy mhwyslais fy hun yn y lle y tebygaf fi y dylai fod.

Rhaid i'r sylfaen fod yn gryf ac mae honno o'r golwg. Mae'r hyn sydd o'r golwg, y profiad, yn bwysicach.

Hyd yn oed pan geir cyfres o ddigwyddiadau yn perthyn i'w gilydd mewn stori fer mae'r pwyslais ar un yn fwy na'r llall.

Hoffwn bwysleisio mai'r mymryn lleiaf sy'n rhoi'r syniad i mi.

Sut agoriad? Sut ddiweddglo?

Sut agoriad?

Isio bod yn ffarmwr, ia? gwaeddodd Ifor.

Wyt ti'n mynd allan heno Gloria?

Wi'n dwmpath amlwg tew a 'sneb 'run fath â fi 'ma.

Bodiodd Malcym am ei smôcs.

Tewi nid gorffen

Gwawriodd y gwir arni, 'roedd y blydi lot wedi mynd allan o'i chyrraedd hi.

Sut ddiweddglo?

Sa'i mo'yn y blydi gwobr!

Sut agoriad

- Mae stori fer fel rheol yn dechrau yn uniongyrchol, yn union fel pe baech yn mynd â chamera fideo i ffilmio sefyllfa a'i dynnu allan ar ôl gorffen.

- Dechreua'r stori yn aml ar hanner sgwrs neu ar hanner digwyddiad, a rhaid i'r darllenydd ffurfio ei farn ei hun am y cymeriadau oddi wrth y meddyliau, y siarad a'r digwyddiadau.

- Yn aml bydd y frawddeg agoriadol ar ffurf cwestiwn.

Sut ddigwyddiad?

- Cawn ein cyflwyno i'r cymeriadau ar adeg dyngedfennol yn eu hanes. Fel y bydd y stori yn datblygu, cawn weld fel y bydd y gwahanol bobl yn adweithio i'w gilydd wrth geisio datrys eu problemau.

- Y mae i bob stori fer dda orffennol a dyfodol yn ogystal â'r presennol.

Sut ddiweddglo?

- Cofiwch mai tewi ac nid gorffen a wna stori fer, ac y bydd y cymeriadau yn debygol o fynd ymlaen â'u bywydau ar ôl i'r stori dewi.

- Bydd ambell stori fer yn cynnwys tro annisgwyl ar y diwedd. Ambell waith bydd rhywfaint o gyfaddawdu yn digwydd rhwng y cymeriadau.

Ystyriwch Trafodwch

- Darllenwch y tair stori *Malcym* gan Margiad Roberts, *Caru Mewn Mwgwd*, gan Margaret Pritchard, ac *Y Clown* gan Marc Jones.

- Trafodwch yr hyn sy'n debygol o fod wedi digwydd cyn i'r storïau ddechrau, a cheisiwch ddychmygu beth fu hanes y cymeriadau ar ôl i'r storïau orffen. Os dymunwch, gallwch ddefnyddio'r awgrymiadau ar y siart i'ch helpu.

Rhowch gynnig arni

- Dewiswch unrhyw stori arall a gosodwch y datblygiadau yn y stori yn y colofnau ar y daflen.

- Cofiwch lenwi'r presennol yn gyntaf, yna dychmygwch beth ddigwyddodd cyn i'r stori ddechrau ac ar ôl iddi orffen.

rhan 2

Malcym

Gorffennol

Ystyriwch Trafodwch

- Beth oedd cefndir Malcym?
- Sut record oedd ganddo yn yr ysgol?
- Dychmygwch y sgyrsiau a fu rhyngddo a Miss Price YTS.
- Faint o broblem oedd perswadio Malcym i fynd i weithio ar fferm Corsydd Mawr?
- Sut berthynas oedd rhyngddo ef a'i nain?

Presennol

Darlun camera

Digwyddiad tyngedfennol

Agoriad uniongyrchol

Tewi nid gorffen

Datblygiad pa ddarlun o fywyd

- Diwrnod tyngedfennol - Bore cyntaf Malcym ar fferm Corsydd Mawr.
- Bore eithriadol o brysur. Bustych yn mynd i'r mart a shafft y tractor wedi torri.
- Agoriad uniongyrchol:- "Isio bod yn ffarmwr, ia?" gwaeddodd Ifor.
- Gwrthdaro rhwng y ddau gymeriad. Ifor ar frys gwyllt am fod y lori ar fin cyrraedd. Malcym yn hollol ddibrofiad yn gwneud popeth o chwith.
- Rhywfaint o gyfaddawdu ar y diwedd, Malcym yn gwneud rhywfaint o ymdrech. Ifor yn meirioli: "Paid â phoeni."

Cyfaddawdu

Dyfodol

Ystyriwch Trafodwch

- Beth ddigwyddodd ar ôl hyn? A lwyddodd Ifor i fynd â'r bustych i'r mart?
- Ydy agwedd Ifor yn meirioli ychydig ar ôl y bore cyntaf?
- Oes gobaith gwneud ffermwr o Malcym?
- Fyddai'r llyfrgell wedi bod yn fwy addas?
- Fyddech chi'n barod i gyflogi bachgen fel Malcym?

Nid syniad am stori ond syniad am fywyd   Sut un?

Caru mewn Mwgwd

Gorffennol

Ystyriwch Trafodwch

- Am pa mor hir oedd y gwrthdaro wedi bodoli rhwng y fam a'r ferch?
- Sut berson oedd y tad? Sut berthynas oedd rhyngddo ef a'i ferch?
- Fu cweryla rhwng y fam a'r mab?
- Faint o siawns gafodd Gloria yn yr ysgol?

Presennol

Darlun camera

Datblydiad

- Diwrnod tyngedfennol. Gloria yn cytuno i fynd ar Blind Dêt (arwyddocâd y teitl).
- Cuddio'r ffaith oddi wrth ei mam.
- Cynllwynio gyda'i ffrind i gwrdd â'i brawd (heb yn wybod iddi).
- Cynllunio gyda'i brawd i ddianc o grafangau'r fam.
- Paratoi ar gyfer ymadael.
- Gloria yn sefyll ar ei thraed ei hun.

Digwyddiad tyngedfennol

Agoriad uniongyrchol

Tewi nid gorffen

Gwrthryfela

Dyfodol

Ystyriwch Trafodwch

- Beth ddigwyddodd ar ôl hyn? Aeth Gloria at ei brawd?
- Lwyddodd Gloria i gwrdd â bachgen o'i theip hi?
- Beth ddigwyddodd i'r fam ar ôl i Gloria adael?
- Fydd y tad yn dal i ddioddef yn dawel?

Nid syniad am stori ond syniad am fywyd   Sut un?

Y Clown

Ystyriwch Trafodwch

Gorffennol

- Oedd Gwyn wedi cael ei orfodi i gystadlu mewn sawl carnifal cyn hyn?

- Tybed a fu'n rhaid iddo gystadlu mewn eisteddfod?

- Beth am wersi piano?

Presennol

Darlun camera

Digwyddiad tyngedfennol

Agoriad uniongyrchol

Tewi nid gorffen

Datblydiad

- Diwrnod tyngedfennol Gwyn Fronddrain wedi ei wisgo mewn siwt clown ar gyfer y carnifal.

- Yn gorfod dioddef yr artaith yn y gwres. Er ei fod bron â marw eisiau mynd i'r tŷ bach, nid yw ei fam yn gwneud unrhyw sylw.

- Mae Gwyn yn ennill y drydedd wobr.

- Yn gwlychu ei hun ac o'r diwedd yn protestio.

Gwrthryfela

Dyfodol

Ystyriwch Trafodwch

- Pa mor hir y bu'n rhaid i Gwyn aros yn ei siwt ar ôl hyn?

- Ydy e'n cael ei orfodi i gystadlu eto ar ôl hyn?

- Pa effaith a gaiff y profiad annifyr hwn arno yn y dyfodol?

- Ddylai plant gael eu gorfodi i gystadlu er mwyn plesio'r fam/tad?

Nid syniad am stori ond syniad am fywyd   Sut un?

Hoelio sylw ar gyferbynnu

- Dengys Dr Dafydd Johnston yn ei erthygl ar *Cyferbynnu mewn Llenyddiaeth* yn *Ysgrifau Beirniadol*, bod yr elfen o gymharu dau beth sy'n wrthwyneb i'w gilydd neu ddau beth sy'n sylfaenol wahanol i'w gilydd yn elfen sy'n gyffredin i bob ffurf lenyddol.

- Effaith y cyferbynnu yw gwneud natur y naill beth a'r llall yn fwy eglur, trwy bwysleisio'r gwahaniaeth rhyngddynt.

- Gallwn ymateb yn hawdd i gyferbynnu mewn llenyddiaeth am ein bod yn gwbl gyfarwydd â chyferbynnu fel dull o feddwl.

- Trwy ddefnyddio cyferbynnu bydd yr awdur yn medru darlunio bywyd yn fwy trefnus nag y mae er mwyn i'r bobl allu gweld eu profiadau yn gliriach a'u deall yn well.

- Mae gwrthdaro rhwng pethau cyferbyniol yn creu tyndra mewn stori. Mae gelyniaeth rhwng y ddau begwn yn codi'r cwestiwn o ba un sy'n mynd i drechu, a thrwy hynny yn cynnal diddordeb y darllenydd.

- Yn aml bydd awdur yn gorffen yr ornest drwy gyfuno'r ddau begwn cyferbyniol mewn rhyw fath o gyfaddawd. Bryd arall bydd y tyndra yn cael ei gynnal hyd y diwedd.

Cyferbynnu

	Malcym	**Caru Mewn Mwgwd**	**Y Clown**
Rhwng cymeriadau	y profiadol/y dibrofiad yr ifanc/y canol oed y gweithiwr/y diogyn/ y meistr/y gwas	y fam ormesol/y ferch ddioddefus y fam uchelgeisiol/y ferch heb uchelgais y fam brofiadol/y ferch ddibrofiad	y fam ormesol/y bachgen dioddefus y fam uchelgeisiol/ y bachgen swil
Agwedd at fywyd	Malcym - cyn lleied o waith ag sy'n bosibl Ifor - gweithio'n galed er mwyn y fferm Malcym yn cŵl/Ifor yn wyllt	y fam yn ysu am gael gwared ar y ferch y ferch heb ddim diddordeb yn ei chynlluniau	Ysu am gael ei phlentyn ar frig y gystadleuaeth y plentyn heb ddim awydd cystadlu
Uchelgais	Malcym - cael smôcs/gwyliau Ifor - cael y bustych i'r Crysh Gwraig y fferm - arbed arian Malcym - ddim yn poeni	Cyfle i frolio yn y bingo am orchestion ei merch Ei merch â diddordeb mewn llyfrau	Y fam - ennill gwobr yn y carnifal Y bachgen - mynd i'r tŷ bach
Gwisg	Malcym yn poeni am ei ymddangosiad (gwisgo modrwy) Ifor yn hidio dim (dillad yn hongian amdano) Malcym - crys chwys/jins Ifor - trowsus anniben	Yr awgrym a geir yw ei bod yn gwisgo'n gomon â phersawr rhad Gloria yn fwy ceidwadol	Y bachgen wedi ei wisgo mewn gwisg clown/ y chwaer yn ei dillad ei hun
Defnydd o symbolau	Malcym - pymps/moped Ifor - welintons/car rhydlyd	Gloria - tystysgrif/llyfrau Y fam - powdwr rhad	Pelen blastig goch y powdwr golchi/cwpan te
Iaith/ ffordd o siarad	Malcym yn siarad mewn iaith fratiog â nam ar ei leferydd Ifor yn siarad yn fwy cywir/termau amaethyddol	Iaith y fam yn fwy sathredig, yn defnyddio rhegfeydd. Gloria yn siarad yn fwy graenus	Iaith y fam yn ddifrïol/y bachgen yn siarad yn blentynnaidd
Enwau	Ifor - enw Cymraeg Malcym - enw Albanaidd yn cael ei ynganu ag acen Gymraeg	Gloria/Wayne	Gwyn - A oes arwyddocâd i'r enw? (Gwyn y gwêl...)
Y darlun defrydol/ realiti	Darlun y *Farmers Weekly* o fywyd ar y fferm (peiriannau modern) Bywyd go iawn - dim ond un tractor a hwnnw ddim yn gweithio'n iawn	Darlun ym meddwl y fam o'i merch yn priodi Gloria heb ddangos diddordeb mewn bechgyn	Darlun o'r plentyn yn llwyddo ond mewn gwirionedd mae'n cael y drydedd wobr yn unig

Cyferbynnu

Darlun y Farmers Weekly

- Ond ar ôl gweld yr holl lunia lliwgar yn y tunelli o *Farmers Weekly*, a gafodd gan Miss Price YTS, roedd o'n siomedig.

- Roedd o wedi disgwyl gweld peiriannau mawr newydd o bob math yn britho'r iard. Seilos fel rocedi, siedia gymaint â chae pêl-droed a chombeins gymaint â deinosôrs.

Y Darlun go iawn

- ... a sbonciodd Malcym o garreg i garreg... A gyda'i feddwl ar ddarlunia o'r fath yr oedd Malcym pan roddodd flaen ei droed mewn cachu buwch!

- Roedd Malcym wedi dechra ca'l llond bol ar ffarmio'n barod ac yn dechra meddwl fwyfwy am y Llyfrgell. O leia mi fyddai o'n gynnas ac yn sych yn fan'no.

- Roedd o wedi ffansïo'i hun yn gyrru combein. Y combein mwya oedd yn bod!

- Landrovers, ffarmwrs mewn body-warmers, het mynd a dŵad a welintons glân ... oll ar dudalenna'r *Farmers Weekly*.

- Ond yr unig beth newydd a welodd Malcym ar iard Corsydd Mawr oedd rwbath tebyg i ffrâm drws ar wal y gorlan a hwnnw'n baent glas newydd drosto.

- Roedd y gwynt yn ei frathu'n ddrafftiog trwy ei grys chwys brau.

- Neidiodd o ben y clawdd i ganol crempog wlyb o faw gwartheg...

Hoelio sylw ar gymeriad

Acen

Nodweddion corfforol

Adwaith i sefyllfaoedd arbennig

Personoliaeth

Gwisg

Yr hyn y mae'r awdur ei hun yn ei ddweud

Adwaith y cymeriadau eraill

Y rhyngweithio rhwng y cymeriad a chymeriadau eraill

Ffordd o siarad

Hoelio sylw ar gymeriad

RUSH
(YR AST
DDEFAID)

_____

NAIN

_____

MALCYM

_____

MISS PRICE
YTS

_____

MF HUWS

_____

MRS HUWS

_____

- Gorau i gyd po leiaf yw nifer y cymeriadau mewn stori fer.

- Un cymeriad canolog a geir fel rheol ac un nodwedd lywodraethol yn perthyn iddo.

- Y gamp fawr yw bod yn ddidwyll i bob cymeriad.

- Yr amrywiadau a'r gwyriadau bychain mewn cymeriad sy'n gwneud stori yn aml iawn.

- Fel creawdwr y mae hedyn pob cymeriad yn bod yn ei natur ef ei hun dim ond iddo chwilio'n ddidwyll amdano.

GWYN
FRONDDRAIN

_____

Y FAM

_____

Y FICER

_____

BETI
ARIAN

_____

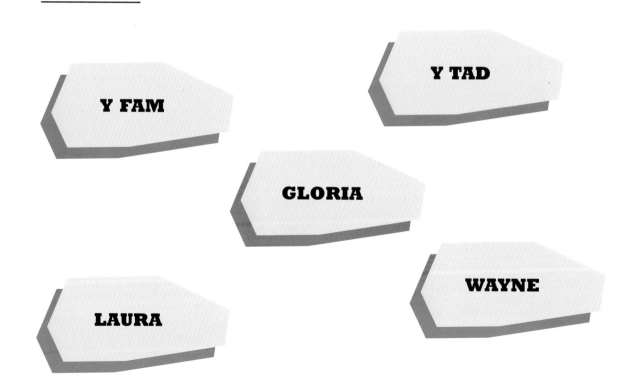

Sut i astudio cymeriad

Canolbwyntiwch ar un ar y tro

Sylwch ar y canlynol

- disgrifiad corfforol
- gwisg
- agwedd at fywyd
- ffordd o siarad
- addysg
- y rhyngweithio rhyngddo/rhyngddi a'r cymeriadau eraill

- personoliaeth
- adwaith i'r amgylchedd
- acen
- safle cymdeithasol
- arferion

Ystyriwch Trafodwch

- Ydy'r cymeriad yn gymeriad byw sy'n argyhoeddi?

- Pa ddulliau a ddefnyddiodd yr awdur i greu'r cymeriad?

- Cynhaliwch gyfweliad dychmygol â'r cymeriad. Cofiwch baratoi'r cwestiynau yn ofalus ymlaen llaw.

- Ydy'r digwyddiadau yn y stori yn cael eu gweld o safbwynt un cymeriad yn fwy na'r lleill?

Malcym
Ar wefusau'r awdur...

Dim ond dau ddeg pump, tri deg oedd cyflog dyn ar YTS.

Fedrai Malcym ddim disgwyl i gael bod yn hen. Roedd pensiwn i'w weld yn talu'n well o lawar.

Dal i sefyll yn ei unfan yr oedd Malcym.

Yr unig beth yr oedd o'n ei licio am gynllunia YTS oedd y teithio.

Hannar awr wedi wyth tan bump. Doedd o ddim yn deg!

Er, chyrhaeddodd o ddim tan chwarter i naw heddiw a doedd neb wedi sylwi!

Roedd Malcym wedi dechra ca'l llond bol ar ffarmio'n barod ac yn dechra meddwl fwyfwy am y Llyfrgell.

Dechreuodd ddifaru am nad oedd o wedi mynd i weithio i'r Llyfrgell.

Dechreuodd feddwl am ei wely, y gwely cynnas y llusgwyd o ohono y bora hwnnw.

Beth oedd diban cae ast yn gorwadd ar y cae a phawb arall yn gorfod cerdded?

Ffordd o siarad
Yr union eiriau... Malcym

Dwfnod neis
Mf. Huws.

Gynny fi ddim
choice. Fa'ma
neu Libfafi.

Pam neith
chi fynd â nhw
i Londyfet?

Be ydi
bustych, Mf. Huws?

O, fi'n mynd
i ca'l rhei gin Santa
Clôs.

Pfyd ceith
fi ddfeifio tfactof,
Mf. Huws?

O cyn fi amhofio,
Mf. Huws. Ceith
fi bwcio holides
fi fwan.

Jyst nôl
smôcs fi...

17

Ifor
Ar wefusau'r awdur…

Yr oedd o'n wyllt, yn flêr, yn anghwrtais…

Roedd sŵn tractors wedi difetha ei glyw ers blynyddoedd.

Roedd ei ddillad yn hongian amdano a 'run botwm na dim yn eu cau.

Welintons oedd am ei draed a'u hôl budr nhw ar deils coch y gegin.

… mwydro rwbath am droi rhyw feheryn at rhyw ddefaid, dôshio rhyw giat, weldio rhyw fuwch, injectio rhyw dractor a thrwshio rhyw oen.

… wrthi'n agor rhyw giatiau yn y gorlan ac yn clymu rhai erill hefo llinyn bêl.

Ar ben ei hun ac iddo'i hun yr oedd Ifor wedi gweithio ers pum mlynadd ar hugain.

… teimlo ei fod o mewn rhyw frwydr barhaus hefo anifeiliaid, tir, tywydd a phobol.

MF. HUWS

Yr union eiriau… Ifor

Isio bod yn ffarmwr, ia?

Mi fydd y lorri yma … hannar awr 'di deg… Bustych i mart.

Blydi-shafft-PTO

Patant newydd sbon i ddal gwarthaig, yli. Penna nhw'n sownd inni ga'l codi nymbrs 'u clustia nhw.

Gweiddi yn eu gwyneba nhw, y mwnci diawl!

Sefyll yn fan 'cw!

Aros yn fan'na

Agor!

Rush?
'Ma Rush fach!
Cer rownd!
Cer rownd!

Paid â poeni 'Deith o ddim pellach na giat lôn.

Cer i nôl ffon, y lembo!

Cydia'n ben y giât na!

Lle ma dy welintons di?

19

CARU MEWN MWGWD
Ar wefusau'r awdur... Y fam

Llygaid glas golau yn sgleinio fel pyllau bach o ddŵr toddi yn eira budur y powdwr rhad ar ei hwyneb.

Gwefusau mawr gwlyb yn blasu'r gorffennol.

Roedd talp o ddyn yn dipyn mwy o werth na darn o bapur yn ei llygaid hi.

Ei mam hurt eisiau crandrwydd ac yn ceisio gwneud ffesant o ddau bitw bach o adar to.

Campau carwriaethol mor ddiflas eu blas â'r pwdin reis tun a luchiai hi ar y bwrdd cinio bob dydd Sul.

GLOR-IA

Llais blagardlyd.

Cleber gwrthun ei mam.

Yr un hen diwn gron Nid oedd diwedd arni.

Roedd y blydi lot wedi mynd allan o'i chyrraedd hi.

Persawr rhad.

Ffordd o siarad
Yr union eiriau… Y fam

Wyt ti'n mynd allan heno, Gloria?

Criba dy wallt i lawr dros dy dalcen - lle bod 'na ormod o dy wyneb di'n golwg.

Wyt ti ddim isio gair o brofiad?

'Ron i'n ei newid nhw bob lleuad 'mhell cyn gadael 'rysgol yn bymtheg ac wedi gwybod be' di be a phriodi yn d'oed di.

Dwn i ddim be wnes i, i haeddu dau lipryn 'run fath â chi.

Hogan o dy oed ti dest yn ddeunaw oed heb hogyn i'w chanlyn.

A dyna'r hogyn Wayne 'na wedyn. Rhyw dipyn o ditw - ffani ydi ynta hefyd, ei ben mewn llyfr yn lle llyncu'i beint fel dyn.

Ys ti be' mae gen i gywilydd pan fydd y lleill yn holi amdanat ti'n y Bingo! A finna' heb gythral o ddim i'w ddeud.

Rho blwc i dy sgert i fyny am dy ganol.

Dros yn dy flaen, hogan a gwna d'ora. Duwcs! Ella byddi di'n ferch i dy fam yn y diwadd.

Ffordd o siarad

Dydy hi ddim yn anodd cael dy ddwylo ar ddyn wst ti, ond i ti ddangos beth sgen ti i gynnig.

Hy, does rhaid i mi ond sôn am y diawl nad ydy o dan fy nhraed i.

Does 'na ddim mymryn o sbonc yn yr un ohonoch chi.

Ar wefusau'r awdur... Gloria

Fe ddylai gael swydd well na'r siop lyfrau heb lawer o drafferth gan iddi fynnu aros yn yr ysgol tan llynedd, er gwaethaf ei mam, i gael tystysgrif dda.

Corddai o gasineb at ei mam wrth iddi dynnu ei llinyn mesur budur ar hyd-ddi.

... ei hyder oedd yn brin.

Er hynny dioddefodd y miri i'r eithaf i geisio dod yn un ohonynt.

Fe'i teimlai ei hun yn mynd i'w gilydd i gyd fel accordion.

... yna crychodd ei thalcen wrth liwio'i hamrannau'n glesiau piws a'i llygaid yn suddo i'w phen mewn protest.

Teimlai'r eneth awydd sgrialu'n ôl i'w hystafell...

Gwelai wyneb hir, llwydaidd, y llygaid yn fwll o dywyll a'r gwefusau'n llonydd, wyneb heb ei ddeffro.

Teimlai fel brechdan wedi cyrraedd adra...

Am unwaith ni faliai'r un botwm am chwilfrydedd ei mam. O'r diwedd teimlai'n ddigon cryf i'w hwynebu.

Yn ei gwallt du'n unig yr oedd bywyd.

Yr union eiriau... Gloria

Ie, rêl hen frân ydw i hefyd hefo'r hen wallt 'ma.

... taswn i'n medru mynd allan heb i Mam 'y ngweld i a 'nhynnu fi'n greia.

Na dydw i'n fawr o bictiwr. Mae ngwyneb i'n hen ffasiwn rywsut.

Waeth ichi heb â holi; chewch chi ddim allan ohona i. Waeth i chi roi gorau iddi cyn dechra.

Af, mi â i allan heno ond nid i'w phlesio hi chwaith. 'Does wybod pwy wela i. Mi fasa'n braf cael rhywun i gael sgwrs iawn hefo fo.

Os bydda i'n hwyr yn y siop fydd gen i ddim gwaith na chyflog a dim pres bingo i chitha.

Efallai bod 'na hen frân debyg i mi yn rhywle. Mi â i ar sgawt i'r Disco.

Fe fydd fy nillad i'n debyg i'r lleill os ydi fy ngwynab i'n boitsh.

Y CLOWN
Yr union eiriau... mam Gwyn

O! pwy weiddi dros y ca' fel 'na ti'n 'neud grwt, a phwy nawr ti 'ishe mynd i'r tŷ bach? Dyle ti fod wedi mynd cyn i'r carnifal ddechre

... so ti'n cal' tynnu'r dillad 'na bant ar ôl yr holl ffwdan es i drwyddo i'w rhoi nhw arnot ti. Wel, sda ti ddim i' neud ond dala!

Dere Gwyn bach - ti'n barod? Cofia di wenu nawr, a gwed diolch wrth y ficer pan ei di 'nôl y wobr 'na.

O gad dy gonan wir. 'Sdim llonydd i gal pan 'ti biti'r lle - nago's wir.

Aros di man-lle'r wyt ti 'ne fe gei di 'wi 'ishe mynd gatre' gyda fi yn gros dy din.

Ffordd o siarad
Yr union eiriau… Gwyn Fronddrain

Ma-am! Mam wi ishe mynd i pi-pi

Wi'n dwmpath amlwg, tew a 'sneb 'run peth â fi 'ma. Ma' mhledren i'n gwasgu ac ma' Mam yn cloncan gyda Wil Puw.

Wi'n gwisgo lan fel clown!

Pryd ga' i fynd i bi-pi Mam?

Sa i am gystadlu… Wi 'ishe mynd gartre.

Ma'n rhy hwyr! Wi'n 'lyb! Sa'i mo'yn y blydi wobr!

Deialog

MR HUWS: Isio bod yn ffarmwr, ia?

MALCYM: 'Gynny fi ddim choice Fa'ma neu Libfafi. Dwfnod neis Mf. Huws.

MR HUWS: Blydi shafft-PTO

MALCYM: Be 'dach chi'n neud, Mf. Huws?

MALCYM: Dwfnod neis, Misus Huws.

MRS HUWS: Mond gobeithio... sycha nhw...'de Malcym

MALCYM: Pam neith chi fynd â nhw i Londyfét?

MRS HUWS: Gwynt yn rhatach, tydi Malcym. Mond gobeithio ca' nhw lonydd. Buwch ddoth ar 'u traws nhw ddoe.

MR HUWS: Lle ma' dy welintons di?

MALCYM: O fi'n mynd i ca'l rhei gin Santa Clos.

MR HUWS: Mi fydd y lorri yma... hannar awr 'di deg. Bustych i mart.

MALCYM: O cyn fi amhofio, Mf. Huws. Ceith fi bwcio holides fi fwan?

MR HUWS: Patant newydd sbon i ddal gwarthaig - yli - penna nhw'n sownd inni ga'l codi nymbrs 'u clustia nhw.

MALCYM: Be' ydi bustych Mf Huws?

MR HUWS: Gei di weld!

MALCYM: Pryd ceith fi ddfeifio tfactor, Mf Huws? Shwwwwww

MR HUWS: Gweidda yn eu gwyneba nhw, y mwnci diawl! Aros yn fan 'na. Sefyll yn fan 'cw. Gwatsiaaaaaaa!

MALCYM: Jyst nôl smocs fi.

MR HUWS: Cer i nôl ffon, y lembo. Ty'd yma. Cydia'n ben y giat 'na! Agor! Paid â poeni. 'Deith o ddim pellach na giat lôn.

Malcym

	Sut arddull?		Rhaid rhoi rhesymau
Beth yw'r naws?	Doniol Difyr Yn llawn hiwmor		Beth yw bwriad yr awdur?
Iaith	Iaith anffurfiol		A yw'r math o iaith yn addas i'r stori?
	• **Defnydd o dafodiaith** e.e. mwydro, dallt, slaes, yli, waldio, y crysh, y cowt, y fwtri • **Defnydd o ddeialog** e.e. *Malcym*: Pam neith chi fynd â nhw i londyfét? • **Defnydd o gwestiwn** *Mrs Huws*: Gwynt yn rhatach, tydi Malcym? • **Creu cymeriad drwy ddefnyddio ffordd arbennig o siarad**	• Malcym - nam ar ei leferydd • iaith fratiog anghywir • defnydd o'r Saesneg • camdreiglo	A yw'r defnydd o iaith yn gwneud y sefyllfa yn fwy real a'r cymeriadau yn fwy byw? Fedrwch chi glywed llais Malcym yn siarad ar y cowt?
Y gair iawn yn y lle iawn	...mwydro rwbath am droi rhyw feheryn at rhyw ddefaid, doshio rhyw giat, weldio rhyw fuwch, injectio rhyw dractor a thrwsio rhyw oen ... a chynfasa gwyn yn frownwyrdd hyll ac yn un cawdel o bibo o dan draed y bustych trwsgwl		Ydy'r disgrifiad yn cyfleu'r darlun o'r prysurdeb gwyllt ar y fferm?
Technegau	**Trosiad:** **Cymariaethau:**	Crempog wlyb o faw gwartheg Seilos fel rocedi, siedia gymaint â chaea pêl-droed a chombeins gymaint â deinosôrs! yr ast i orwedd yn fflat fel crocodeil... glafoerion hir fel llinyna io-io	• Fedrwch chi ddychmygu seigen o ddom sy'n edrych fel pancwsen? • Ydy'r cymariaethau yn help i ddangos y darlun afreal a oedd gan Malcym yn ei ddychymyg ar ôl darllen y *Farmers Weekly*?
	Berfau gweithredol: **Gorchmynnol:** **Ansoddeiriau:**	*Brasgamodd* Ifor trwy'r baw. *Sbonciodd* Malcym o garreg i garreg Cer i nôl y ffon. Cydia'n ben y giât 'na dillad claerwyn, llipa. Anifeiliaid anystywallt	I ba raddau y mae'r iaith a'r technegau yn cyfrannu at yr amrywiaeth?
Amrywio Brawddegau	**Brawddegau byrion e.e.** **Hirion e.e.**	Bodiodd Malcym am ei smôcs Rhoddodd hwnnw hergwd i'r un o'i flaen, a'r un o flaen hwnnw i'r llall nes y cafodd y gwyllta ohonyn nhw i gyd gymaint o ddychryn...	A yw'r brawddegau yn gymorth i'r awdur gyflawni ei fwriad?

Caru mewn mwgwd

	Sut arddull?		**Rhaid rhoi rhesymau**
Beth yw'r naws?	Doniol Difyr Yn llawn hiwmor		Beth yw bwriad yr awdur?
Iaith	Iaith anffurfiol		A yw'r math yma o iaith yn addas i'r stori?
	Defnydd o dafodiaith e.e.	dau lipryn; wst ti, malio, slensio, dest y peth, yli, rwan, hogan, llanast	A yw'r defnydd o iaith yn gwneud y sefyllfa yn fwy real a'r cymeriadau yn fwy byw?
	Defnydd o gwestiwn e.e.	"Wyt ti'n mynd allan heno, Gloria?"	Fedrwch chi ddychmygu llais y fam yn gweiddi ar Gloria?
	Creu cymeriad drwy ddefnyddio nifer o idiomau e.e.	... dipyn o ditw-ffani, dau lipryn, newid nhw bob lleuad, gwybod be' di be', sôn am y diawl…	
Y gair iawn yn y lle iawn	Y gwefusau mawr gwlyb yn blasu'r gorffennol		Ydy'r disgrifiad yr cyfleu'r darlun o'r fenyw gomon?
Technegau	**Cymariaethau**	• Campau carwriaethol mor ddiflas eu blas â'r pwdin reis a luchiai hi ar y bwrdd cinio bob dydd Sul • fel swigen ar ddŵr budur • tada fel rhyw bryf genwair yn tyrchu yn y clwt bach yna o ardd...	Ydy'r cymariaethau yn pwysleisio natur y fam ac agwedd ei gŵr a'i merch ati?
	Trosiad	• eira budur y powdwr rhad ar ei hwyneb	
	Berfau gweithredol	Sleifiodd i'r lloft a'i thaflu ei hun ar y gwely	I ba raddau y mae'r iaith a'r technegau yn cyfrannu at yr amrywiaeth?
	Ansoddeiriau	llais blagardlyd; wyneb hir llwydaidd	
Amrywio brawddegau	**Defnydd o gwestiynau** e.e.	Wyt ti ddim isio gair o brofiad?	A yw'r brawddegau yn gymorth i'r awdur gyflawni ei fwriad?

Y Clown

	Sut arddull?		Rhaid rhoi rhesymau
Beth yw'r naws?	Doniol Difyr Yn llawn hiwmor		Beth yw bwriad yr awdur?
Iaith	Iaith anffurfiol		A yw'r math o iaith yn addas i'r stori?
	Defnydd o dafodiaith e.e.	Stwffo gwellt, cloncan, becso, biti'r lle, yn gro's dy din, crwt, danto, yn frawl i gyd, sa i moyn, swch, ffaelu, bant, o pwy weiddi dros y lle, gweud y drefen	A yw'r defnydd o iaith yn gwneud y sefyllfa yn fwy real a'r cymeriadau yn fwy byw?
	Defnydd o ddeielog	"Ma-am! ... Mam wi ʹishe mynd i pi-pi! O, pwy weiddi dros y ca' fel 'na ti'n 'neud grwt"	Fedrwch chi ddychmygu llais Gwyn Fronddrain yn ynganu ei brotest yn y carnifal?
	Creu cymeriad drwy ddefnyddio ffordd arbennig o siarad e.e.	Dynwared iaith plentyn bach	
Y gair iawn yn y lle iawn		Protestiaf inne i ben y rhes ... llusgo 'nhraed a'm hunan-barch yr holl ffordd nôl.	Ydy'r disgrifiad yn cyfleu'r teimlad annifyr a gaiff Gwyn yn y carnifal?
Technegau	**Trosiad** **Cymariaethau**	Yn hen sgilpyn Yn stiff fel pocer Ma'n nhw'n clecian yn gwmws fel danne' Dad pan mae e'n cysgu Mae hi'n t'wynnu'n awchus fel seren Bethl'em Y dorf... yn... browlan... fel creaduried mewn 'stafell ddisgwyl lladd-dy	Ydy'r cymariaethau yn ychwanegu at yr hiwmor yn y stori?
	Berfau Gweithredol **Ansoddeiriau**	Wi'n codi 'nghoese, yn nesu at y rhes; yn cyrra'dd y rhes. diferion gludiog	I ba raddau y mae'r iaith a'r technegau, yn cyfrannu at yr amrywiaeth?
Amrywio brawddegau	**Brawddeg esgynnol**	Rhoddaf gam yn nes, cam rhy fawr a cham yn ormod. Wi'n codi 'nghoese, yn nesu at y rhes; yn cyrra'dd y rhes.	I ba raddau y mae'r brawddegau yn gymorth i'r awdur gyflawni ei fwriad?

ystyried crefft y stori fer

ystyried crefft y stori fer

Enw'r Stori	awdur/awdures

Ystyriwch
Trafodwch

Gorffennol

Darlun camera

Presennol

Ystyriwch
Trafodwch

Dyfodol

Cyferbynnu

	Enw'r stori:	Enw'r stori:	Enw'r stori:
Rhwng cymeriadau			
Agwedd at fywyd			
Uchelgais			
Gwisg			
Defnydd o symbolau			
Iaith/Ffordd o siarad			
Enwau			
Y darlun delfrydol/ realiti			

Enw'r cymeriad:

**Rhyngweithio rhyngddo/rhyngddi
a chymeriadau eraill**

Cymeriad 1	Cymeriad 2	Cymeriad 3	Cymeriad 4	Cymeriad 5

Enw'r cymeriad:

Sut berson?

Disgrifiad corfforol	Gwisg	Arferion	Person-oliaeth	Adwaith i'r amgylchfyd/ agwedd at fywyd

Sylwadau'r awdur:

FARMERS WEEKLY

Rhys Bevan-Jones

Malcym

"Isio bod yn ffarmwr, ia?" gwaeddodd Ifor. Roedd sŵn tractors wedi difetha ei glyw ers blynyddoedd.

"Gynny fi ddim choice. Fa'ma neu Libfafi," atebodd Malcym wrth dynnu ar ei sigarét yn cŵl.

Ond doedd Ifor ddim wedi aros i ddisgw'l am ateb Maclym. Roedd o wedi diflannu i rwla, yn mwydro rwbath am droi rhyw feheryn at rhyw ddefaid, dôshio rhyw giât, weldio rhyw fuwch, injectio rhyw dractor a thrwshio rhyw oen.

Parciodd Malcym ei foped yn ymyl car rhydlyd Ifor, yn y garej, a gorffan ei smôc. Yr unig beth yr oedd o'n ei licio am gynllunia YTS oedd y teithio. Y gyrru i'w waith a'r gyrru o'i waith, ac roedd y moped yn mynd fel motobeic! Lwcus fod gan ei nain o ddigon o fodd i fancio'i phensiwn bob wsos, neu yn ôl a blaen ar fŷs y bydda Malcym. Dim ond dau ddeg pump, tri deg oedd cyflog dyn ar YTS. Fedrai Malcym ddim disgwyl i gael bod yn hen. Roedd pensiwn i'w weld yn talu'n well o lawar. Ond wedyn tasa fo'n hen, fasa fo ddim yn ca'l gyrru moped! Edrychodd arno'i hun yng ngwydr y beic. Roedd y fodrwy yn ei glust yn edrych yn tyff! Yna edrychodd ar ei bymps newydd. Stwmpiodd ei smôc rhwng ei bympsan a'r concrit a cherddodd yn hamddenol at y cwt y diflannodd Ifor i mewn iddo.

"Dwfnod neis Mf. Huws," cynigiodd Malcym.

"Blydi-shafft-PTO!" damiodd Ifor a phoerodd gwreichion coch a glas yn gawodydd trwy'r drws.

Neidiodd Malcym gan ysgwyd y gwreichion odd'ar ei ddillad rhag ofn iddo fynd ar dân! "Be 'dach chi'n neud, Mf. Huws?" gofynnodd wedyn gyda dim ond ei dalcan yn sbecian rownd y drws.

Roedd y Ddynas YTS wedi pwyso arno fo i ofyn cwestiyna. Ond doedd o ddim am ga'l atab, oherwydd rhuthrodd Mrs. Huws ar draws yr iard yn ei slipars croen dafad, yn gweiddi fod rhywun eisio gair hefo'i gŵr ar y ffôn. Ym mhen pum munud go lew ar ôl i Ifor orffan malu beth bynnag yr oedd o'n trio'i drwshio, aeth i atab y ffôn.

Aeth Malcym i nôl smôc arall o helmet ei foped ac i siarad hefo Mrs. Huws a oedd yn ymlafnio i roi dwy gyfnas wen drom ar y lein ddillad.

"Dwfnod neis, Musus Huws," tynnodd Malcym yn ddoeth ar ei sigarét.

"Mond gobeithio...sycha nhw...'de, Malcym," atebodd Mrs. Huws yn fyr ei gwynt wrth godi'r cyfnasa'.

"Pam neith chi fynd â nhw i Londyfet?" gofynnodd Malcym yn fusneslyd.

"Gwynt yn rhatach, tydi Malcym?" a sythodd Mrs. Huws y gyfnas ddwytha ar y lein. "'Mond gobeithio ca' nhw lonydd. Buwch ddoth ar 'u traws nhw ddoe!" ebychodd yn ddiymadferth.

Edrychodd Malcym ar y dillad claerwyn, llipa ar y lein yn siglo mymryn yn ôl a blaen hefo'r gwynt. Dechreuodd feddwl am ei wely, y gwely cynnas y llusgwyd o ohono y bora hwnnw. Dechreuodd deimlo'n gysglyd. Doedd ei ffrindia fo ddim yn gorfod dechra gweithio tan naw. Ond roedd o'n gorfod dechra am hanner awr wedi wyth! Dechreuodd ddifaru am nad oedd o wedi mynd i weithio i'r Llyfrgell. Ond wedyn fyddai o ddim yn ca'l cyfla i yrru dim byd yn fanno, dim ond trolis llyfra, a doedd 'na'm gêrs ar betha felly! Hannar awr wedi wyth tan bump. Doedd o ddim yn deg! Er, chyrhaeddodd o ddim tan chwarter i naw heddiw a doedd neb wedi sylwi!

Cafodd Malcym ddigon o amsar i sylwi ar yr iard tra roedd Ifor ar y ffôn. Ond ar ôl gweld yr holl lunia lliwgar yn y tunelli o

Farmers Weekly, a gafodd gan Miss Price YTS, roedd o'n siomedig. Roedd o wedi disgw'l gweld peirianna mawr newydd o bob math yn britho'r iard. Seilos fel rocedi, siedia gymaint â chaea pêl-droed a chombins gymaint â deinosôrs! Roedd o wedi ffansïo'i hun yn gyrru combein. Y combein mwya oedd yn bod! Ond yr unig beth newydd a welodd Malcym ar iard Corsydd Mawr oedd rwbath tebyg i ffrâm drws ar wal y gorlan a hwnnw'n baent glas newydd drosto.

Brasgamodd Ifor o'r tŷ yn mwydro rwbath am Gyngor Sir a lledu ffordd, a chorsydd! Roedd ei ddillad yn hongian amdano a 'run botwm na dim yn eu cau. Ond doedd Malcym ddim yn gw'bod p'run ai wedi neidio i mewn iddyn nhw yr oedd o, a hynnu'n llythrennol, ynta wedi hanner neidio ohonyn nhw rhywdro yn ystod y bora! Welintons oedd am ei draed a'u hôl budr nhw ar deils coch y gegin. Aeth Mrs. Huws i nôl ei mop dan regi.

Tynnodd Malcym yn braf ar ei sigarét gan feddwl ella bod Mr. Huws am fynd yn ôl i'r cwt y daeth ohono. Ond erbyn i Ifor gyrra'dd yr iard, roedd o fel tae o wedi chwythu ei stêm i gyd. Cofiodd eiria ei wraig: "Paid â gweiddi arno fo dwrnod cyntaf, Ifor..."

"Lle ma' dy welintons di?" gwaeddodd Ifor. Roedd o wedi anghofio sut oedd siarad heb weiddi!

"O, fi'n mynd i ca'l rhei gin Santa Clôs," atebodd Malcym.

Ar ben ei hun ac iddo'i hun yr oedd Ifor wedi gweithio ers pum mlynadd ar hugain. Dyna oedd yn egluro pam yr oedd o'n wyllt, yn flêr, yn anghwrtais ac yn teimlo ei fod o mewn rhyw frwydr barhaus hefo anifeiliaid, tir, tywydd a phobol.

"Mi fydd lorri yma...hannar awr 'di deg... Bustych i mart." mwmbliodd Ifor.

"O cyn fi amhofio, Mf. Huws. Ceith fi bwcio holides fi fŵan?"

Ond roedd Ifor wrthi'n agor rhyw giatia yn y gorlan ac yn clymu rhai er'ill hefo llinyn bêl. Stwmpiodd Malcym ei smôc yn bwdlyd.

"Patant newydd sbon i ddal gwarthaig, yli," broliodd Ifor wrth agor y Crysh glas, newydd yn barod i ddal penna'r bustych. "Penna nhw'n sownd inni ga'l codi nymbrs 'u clustia nhw," ychwanegodd wedyn.

Ond doedd Malcym ddim yn dallt. Pregethodd Ifor am rinweddau'r Crysh newydd am ddeg munud solat, er mai heddiw fyddai'r tro cynta' iddo fo ei ddefnyddio. Roedd Ifor wedi darllan ac ystyried yn hir cyn ei brynu. Ond doedd dim dwywaith, petai ond am ei olwg o, roedd o'n curo rhen un yn racs! Roedd llwyddo i ddal pen anifail pedair coes yn yr hen un yn dibynnu'n llwyr ar amseriad y dyn a oedd yn tynnu'r rhaff ac yn wardio o'r golwg ar ei gwrcwd. Ond hefo'r un newydd, y bustach ei hun oedd yn cloi'r giât ar ei wddw wrth ei gwthio ymlaen hefo'i sgwydda. Roedd y Crysh yn mynd i fod yn fendith i ddal anifeiliaid anystywallt, a fedrai Ifor ddim disgwyl i'w weld o'n gweithio!

Brasgamodd Ifor trwy'r baw yn yr adwy i'r cae, a sbonciodd Malcym o garreg i garreg ar ei ôl, yn ei bymps.

"Be' ydi bustych, Mf. Huws?" gofynnodd Malcym.

"Gei di weld!" ebychodd Ifor.

Cerddodd y dau ar draws y cae cynta. Yn yr ail gae yr oedd y bustych.

"Pfyd ceith fi ddfeifio tfactof, Mf. Huws?" gofynnodd Malcym wedyn.

Landrovers, ffarmwrs mewn body-warmers, het mynd-a
-dŵad a welintons glân... Oll ar dudalenna'r *Farmers Weekly*. A gyda'i

feddwl ar ddarlunia o'r fath yr oedd Malcym pan roddodd flaen ei droed mewn cachu buwch!

Cerddodd Ifor a Malcym i'r ail gae. Gorchmynnwyd yr ast i orwadd yn fflat fel crocodeil ar rhyw le o strategol bwys yn y cae cynta. Toc cafodd Malcym ynta ei orchymyn. Roedd o i sefyll heb fod nepell o'r adwy yn yr ail gae, heb symud blewyn. Beth oedd diban cael ast yn gorwadd ar y cae a phawb arall yn gorfod cerdded? Roedd hynny'n bysl i Malcym. Peth arall a'i poenai (ond nid yn fawr iawn) oedd fod Ifor yn mynd i hel deg bustach o'r cae i'r gorlan er mai dim ond pump oedd i fynd i'r sêl. 'Fyddai ddim yn well i'r pump arall aros yn y cae i ga'l bwyta mwy a mynd yn dew? Roeddan nhw'n edrach yn ddigon bychan ym mhen draw'r cae. Ond pan drodd Malcym ei ben yn ôl y funud wedyn, roedd cant a hannar o fustych gwyllt yn rhedag tuag ato a'r rheiny'n mynd yn fwy ac yn fwy wrth nesáu! Roeddan nhw'n pyncio eu penna a'u coesa, a'u llygaid yn fflachio'n wyllt. Roeddan nhw'n mynd i'w LADD o!!

"Shwwwwwwwwwww!" sgrechiodd Malcym o flaen y deg bustach cyn sglefrio am ddihangfa yn ei bymps.

Ond erbyn iddo edrach dros ei ysgwydd o ben y clawdd, roedd y cwbwl wedi rhedag yn eu hola i ben pella'r cae. Dim ond tynnu coes oeddan nhw, gwenodd Malcym a'i wefusa'n crynu.

"Gweiddi yn eu gwyneba nhw, y mwnci diawl!" gwylltiodd Ifor dan ei wynt. Ond doedd fiw iddo fo ddamio'r YTS ar ben clawdd, ar ei dd'wrnod cynta. "Aros yn fan'na!" gwaeddodd ar Malcym.

Doedd Malcym ddim wedi dychryn cymaint ers ben bora pan stopiodd gyferbyn â giât lôn y ffarm i edrach faint oedd y pelltar ar gloc ei foped. Croesodd y ffordd fawr ond welodd o mo'r car gwyrdd ddaeth i'w gyfarfod. Cyrhaeddodd yr ochr arall o flaen

y car a chododd ddau fys ar y ddynas! Datododd hanner dwsin o glyma llinyn bêl mewn llai nag eiliad tra'n edrach yn ôl yn nerfus dros ei ysgwydd. Tarodd ei ben-glin yn yr arwydd "CAEWCH Y GIÂT!". Ond chaeodd o mohoni. Doedd ganddo fo ddim amsar!

Roedd Malcym wedi dechra ca'l llond bol ar ffarmio'n barod ac yn dechrau meddwl fwyfwy am y Llyfrgell. O leia mi fyddai o'n gynnas ac yn sych yn fan'no. Roedd y gwynt yn ei frathu'n ddrafftiog trwy ei grys chwys brau. Ac am y tro cynta erioed roedd o wedi sylweddoli mor bwysig oedd ceffyl i gowboi, oherwydd roedd y gwlybaniaeth wedi dechra dod drwadd i'w sana! Roedd o jest â marw isio smôc. Ond roedd rheiny'n helmet ei foped.

Chwibanodd Ifor ar yr ast i rowndio'r bustych. Er, byddai'n well ganddo fod wedi peidio, oherwydd roedd y bustych yn ddigon gwyllt heb i greadur bychan, milain ar bedair coes eu rhishio nhw.

"Rush? 'Ma Rush fach! Cer rownd! Cer rownd!" gyrrodd Ifor yr ast.

Cymrodd yr ast dro rownd y bustych a'u hel yn daclus tuag at yr adwy gynta. Roedd y rhedag i ben draw'r cae wedi bod o help i arafu rhywfaint ar y petha hurt.

"Paid â symud!" gwaeddodd Ifor fel yr oedd Malcym yn mynd i neidio o ben y clawdd, â'r bustych yn anelu at yr adwy.

Aeth y bustych i gyd trwy'r adwy ac i'r cae cynta'. Doedd Malcym ddim yn gallu meddwl am ddim byd 'mond smôc. Neidiodd o ben y clawdd i ganol crempog wlyb o faw gwartheg a sbonciodd ar goes ei drowsus a chyrlio i fyny ochra ei bymps! Cerddodd Malcym yn fwy gwyliadwrus am ychydig gama.

"Sefyll yn fan'cw!" gwaeddodd Ifor wrtho.

A theimlodd Malcym ei dd'wrnod cynta yn ymdebygu fwyfwy i ysgol. Llusgodd ei draed at y giât.

"Gwatsiaaaaaaa!" gwaeddodd Ifor.

A phan drodd Malcym ei ben roedda nhw yno. Yn pyncio ac yn cicio yn fygythiol fel o'r blaen nes yr oedd glafoerion hir fel llinyna io-io yn diferu o'u cega a'u ffroena nhw. Neidiodd i'r ochr! A thrwy rhyw drugaredd rhedodd y cwbwl ar eu penna i'r gorlan yn hytrach nag yn eu blaena i lawr y lôn.

"Lwcus!" ebychodd Malcym, oherwydd doedd ganddo fo ddim awydd rhedag ar eu hola i lawr y lôn ac i duw a ŵyr ble wedyn!

Dechreuodd Malcym redag i gau'r giât ar y bustych. Wel, o leia, dyna a feddyliodd Ifor yr oedd o'n ei 'neud. Ond dim hyd nes iddo weld Malcym yn pasio'r gorlan ac yn diflannu i'r garej y sylweddolodd Ifor nad cau'r giat oedd ar ei feddwl o! Diflannodd y bustych allan o'r gorlan yr un mor sydyn ag yr aethon nhw i mewn.

"Jyst nôl smôcs fi ..." eglurodd Malcym pan ddaeth yn ôl allan o'r garej.

Ond erbyn hynny roedd y cowt yn orlawn, a chyfnasa gwyn yn frownwyrdd hyll ac yn un cowdel o bibo o dan draed y bustych trwsgwl! Dal i sefyll yn ei unfan yr oedd Malcym. Ond roedd o'n nes at gael smôc rŵan nag ar unrhyw adeg arall yn ystod yr awr ddwytha.

"Cer i nôl ffon, y lembo!" gwaeddodd Ifor yn gandryll ar Malcym, a gyrrodd yr ast i nôl y bustych.

Ond doedd honno ddim yn gymaint o fistras mewn lle mor gyfyng â'r cowt.

"Ty'd yma!" gwaeddodd Ifor ar Malcym wedyn.

Ond dim ond ar ôl gweiddi, waldio, rhegi a chyfarth gan Ifor, y wraig, a'r ast y gyrrwyd y bustych i gyd o'r cowt i'r iard. Gwyliodd Malcym yn synn gan godi ei ffon bob hyn a hyn.

Wrth fynd i'r gorlan at y bustych doedd gan Malcym ddim welintons, ffon na llawar o 'fynadd. Ond gwyddai pe byddai'n cael y bustych i'r Crysh, y byddai'n nes o lawer at gael smôc wedyn. Tynnodd y pacad o'i bocad yn barod.

"Cydia'n ben y giât 'na!" gwaeddodd Ifor.

Roedd Ifor, yn amlwg, yn gwybod pa bum bustach oedd i fynd i'r mart. Ond welodd Malcym erioed ddeg o betha mor debyg i'w gilydd. Roedd Malcym i agor y giât bob tro y gwaeddai Ifor ac y gyrrai fustach o'i flaen trwyddi. Ond wrth i Ifor gael traffa'th troi trwyn rhyw fustach tuag at y giât, gwelodd Malcym ei gyfla i ga'l smôc! Hefo un llaw agorodd geg y pacad coch a gwyn a gwyrodd ei geg ato yn barod i dynnu un smôc allan hefo'i ddannadd.

"Agor!" gwaeddodd Ifor a sglefriodd Malcym gan golli ei draed a'i smôcs i ganol y fwtrin wlyb ar lawr y gorlan.

Rhedodd y bustach trwy'r giât agorad ond llithrodd yn ei frys nes taflu cawod o bibo dros ddillad glân Malcym.

Pan gaewyd y giât y tu ôl i'r pump bustach melyn yn y côr, roedd tasg fwyaf yr orchwyl fechan hon wedi ei chwblhau. Dim ond mater o roi ffon ar gefn y bustach cynta oedd hi rwan nes y byddai'n cerddad yn ei flaen ac yn rhoi ei ben yn sownd yn y Crysh.

Ond gwrthododd y bustach cynta roi ei ben trwy'r agoriad! Yn wir, gwrthododd symud o gwbwl. Rhoddodd Ifor slaes sydyn, egr ar gefn y bustach dwytha gan obethio y byddai hwnnw'n gwthio'r lleill yn eu blaena. Symudodd yr un ohonyn nhw flewyn. Dim hyd nes i Ifor hollti ei ffon bambŵ ar chwartar-ôl y bustach dwytha. Rhoddodd hwnnw hergwd i'r un o'i flaen, a'r un o flaen hwnnw i'r llall nes y cafodd y gwyllta ohonyn nhw i gyd gymaint o ddychryn nes y llamodd dros y rheilings a'r wal frics bum troedfedd, heb hyd yn oed edrach ar y ddyfais hynod o'i flaen! Diflannodd y bustach i lawr y lôn. Roedd hi'n bum munud ar hugain wedi deg a cheisiodd Ifor ymbwyllo. Dywedodd wrth Malcym:

"Paid â poeni. 'Deith o ddim pellach na giât lôn."

Bodiodd Malcym am ei smôcs!

Margiad Roberts

Caru Mewn Mwgwd

"Wyt ti'n mynd allan heno, Gloria?"

Rhinc o gwestiwn oedd o. Hen eco'n ymestyn o un nos Sadwrn i'r llall. Oedd dim llonydd i'w gael yn y tŷ yma? Cuchiodd yr eneth ar ei mam gan deimlo'i gwaed yn poethi ac yn cochi ei gwddw a'i hwyneb. Heb allu palu celwydd o'r newydd, atebodd yn gwta:

"Ella, ga'i weld."

"Chei di byth gariad wrth loetran yn y tŷ 'ma. Hogan o d'oed ti! Dest yn ddeunaw oed, heb hogyn i'w chanlyn! Ys ti be', mae gen i gywilydd pan fydd y lleill yn holi amdanat ti'n y Bingo! A finna' heb gythral o ddim i'w ddeud. Be' stad ti dŵad? 'Ron i'n ei newid nhw bob lleuad 'mhell cyn gadael 'rysgol yn bymtheg oed ac wedi gwybod be' di be' a phriodi yn d'oed di."

Dyna ddechrau brolio'r rhibidi-res o gampau carwriaethol ei mam, mor ddiflas eu blas â'r pwdin reis tun a luchiai hi ar y bwrdd cinio bob dydd Sul. Codai ei llais i gystadlu â'r brefu croch ar Radio Manaw di-daw a'i llygaid glas golau yn sgleinio fel pyllau bach o ddŵr toddi yn eira budur y powdwr rhad ar ei hwyneb. Gwyliai Gloria, er ei gwaethaf, y gwefusau mawr gwlyb yn blasu'r gorffennol a theimlai ei stumog yn troi. Os merched tebyg i'w mam a'i siort oedd ar ddynion eu heisiau, wel rhwydd hynt iddynt. Treiddiodd y llais blagardlyd drwy ei meddyliau:

" A dyna'r hogyn Wayne 'na wedyn. Rhyw dipyn o ditw-ffani ydi ynta hefyd, ei ben mewn llyfr yn lle llyncu'i beint fel dyn. 'Dwn i ddim be wnes i, i haeddu dau lipryn 'run fath â chi. Plant ych tad ydach chi." Fel petai hynny'n warth arnynt.

"Hy, 'does raid i mi ond sôn am y diawl, nad ydi o dan 'y nhraed i."

Wrth glywed traed ei thad yn llusgo'n ddienaid at ddrws y cefn, gwelodd Gloria ei chyfle. Sleifiodd i'r llofft a'i thaflu ei hun ar y gwely cul. Cawsai lond ei bol ar yr holi a'r stilio cyn gynted ag y dôi drwy ddrws y tŷ a'r gobaith am y wyrth ei bod wedi cael cariad ar wyneb ei mam yn diflannu bob tro fel swigen ar ddŵr budur. Y peth callaf a wnaeth Wayne oedd hel ei draed a mynd i lety er ei fod ddigon agos yn ei waith i ddod adref bob nos. Pam na allai hithau ddianc o grafangau ei mam? Fe ddylai gael swydd well na'r siop lyfrau heb fawr o drafferth gan iddi fynnu aros yn yr ysgol tan llynedd, er gwaethaf ei mam, i gael tystysgrif dda. Wrth gwrs, 'roedd talp o ddyn yn dipyn mwy o werth na darn o bapur yn ei llygaid hi.

"Dydi hi ddim yn anodd cael dy ddwylo ar ddyn, wst ti, ond iti ddangos be sgen ti i' gynnig." Dyna'i hadnod hi. Wel, os ei bywyd straellyd hi oedd y wobr, croeso iddi hi, a'i dynion hefyd.

"Ond arhosa' i ddim yn y twll 'ma heno i wrando arni'n cael ei hewinedd i 'nhad; mae ei hen swnian hi'n bwyta i 'mherfedd i."

Cododd i edrych ar ei llun yn y mymryn drych ar y wal. Gwelai wyneb hir, llwydaidd, y llygaid yn fwll o dywyll a'r gwefusau'n llonydd; wyneb heb ei ddeffro. Yn ei gwallt du'n unig yr oedd bywyd. Crychai'n gylch annisgwyl o aflonydd o gwmpas ei phen.

"Na, 'dydw i fawr o bictiwr, mae 'ngwyneb i'n henffasiwn rywsut."

"Mae gen ti wynab diddorol". Dyna fyddai cysur Wayne iddi. Wayne a Gloria! Am lol o enwau i rai o'u bath nhw! Ei mam hurt eisiau crandrwydd ac yn ceisio gwneud ffesant o ddau bitw bach o adar to. Yr hen hulpen wirion iddi hi! Ia, rhyw dderyn to bach llwydaidd ydw i hefyd. Mam yn dannod fy mod yn debyg i Dad."

"Does 'na ddim mymryn o sbonc yn yr un ohonoch chi."

Tada druan! 'Does yna ddim sbonc ynddo fo chwaith; mae o fel rhyw bryf genwair bach yn tyrchu yn y clwt bach 'na o ardd sy ganddo fo, fel tae o'n trïo dianc rhag ei phigo diddiwedd hi. Wel, diolch i Dduw nad ydw i ddim yn debyg iddi hi, beth bynnag!

Pinsiodd ei boch i geisio rhoi tipyn o liw ynddi. Tynnodd flewyn neu ddau o'i haeliau. Ochneidiodd.

"Af, mi a' i allan heno, ond nid i'w phlesio hi, chwaith. 'Does wybod pwy wela' i. Mi fasa'n braf cael rhywun i gael sgwrs iawn hefo fo. Beth oedd y ddihareb honno ddysgais i yn yr ysgol: 'Brân i frân arall a chlogwyn i farcutan.'Efallai bod 'na hen frân debyg i mi yn rhywle. Mi â' i ar sgawt i'r Disco."

Brwsiodd y gwallt du'n ffyrnig i geisio'i unioni i fod yn y ffasiwn ond neidio'n ei ôl a wnâi bob cynnig fel 'lastig.

"Ia, rêl hen frân ydw i hefyd hefo'r hen wallt 'ma."

Agorodd y bocs coluro rhad a gawsai'n anrheg Nadolig awgrymiadol gan ei mam. Gwgodd ar ei llun cyn llunio'i gwefus uchaf yn fwa fflamgoch; brathodd ei dwy wefus yn dynn yn erbyn ei gilydd i liwio'r wefus isaf. Yn y glàs, gwelai flot o inc coch ar dudalen wen ei hwyneb. Am lanast! Rhwbiodd ei cheg yn noeth â darn o hances bapur, yna crychodd ei thalcen wrth liwio'i hamrannau'n gleisiau piws a'i llygaid yn suddo i'w phen mewn protest.

Gwthiodd y bocs oddi wrthi mewn anobaith ac aeth i agor ei chwpwrdd dillad. 'Roedd ganddi ddigon o ddewis; ei hyder oedd yn brin. Gwariai weddill ei chyflog ar ddillad, ond heb fentro eu gwisgo. Gafaelodd mewn sgert biws ysgafn. Wrth iddi ei chau am ei chanol, ymestynnai o'i chwmpas fel blodyn ar fin agor. Blows lês wen â gwddw uchel a'i hesgidiau uchel gwyn? Pam lai? "Fe fydd fy nillad i'n debyg i'r lleill os ydi fy ngwynab i'n boitsh."

Edrychodd ar ei llun.

"Mae gen ti goesau siapus, wst ti," - Laura, ei ffrind yn y siop, yn chwilio am rywbeth i godi ei chalon hi.

"Fe'u newidiwn i nhw fory nesa am ei gwallt melyn a'i chwerthin cynnes hi. Rŵan ta, taswn i'n medru mynd allan heb i Mam 'y ngweld i a 'nhynnu fi'n greia." Gwasgodd ei dannedd ar ei gwefus isaf. Agorodd y drws ac i lawr y grisiau â hi.

Ond dim o'r fath lwc! Pan oedd hi ar y gris olaf, daeth y floedd arferol:

"Glo-ria!"

Daria hi! Fe fuasai rhywun yn meddwl mai Glo' oedd ei henw hi, a'r 'Ria' ar y diwedd yn ddim ond rhyw rigian swnllyd."

"O! 'rwyt ti YN mynd allan!" (fel petai hynny'n orchest iddi hi). "Tyd yma imi gael golwg arnat ti."

Eto fyth! Fe'i teimlai ei hun yn mynd i'w gilydd i gyd fel accordion. Corddai o gasineb at ei mam wrth iddi dynnu ei llinyn mesur budur ar hyd-ddi.

"Criba dy wallt i lawr dros dy dalcen - lle bod 'na ormod o dy wyneb di'n golwg. Rho blwc i dy sgert i fyny am dy ganol. Mi fasa' un dynn yn well i ddangos dy siâp di a dy goesa di ydi'r petha gora' sy gen ti i gynnig. Cerdda hefo tipyn o gic - fel hyn, ys di." Edrychai fel hwyaden wedi ei dal hi wrth simsanu ei ffordd tua'r drws. Trodd yn ei hôl i roi barn bellach.

"Synnwn i ddim na wnei di rwbaeth ohoni hi heno ond i ti beidio edrach mor sobor. Mi fasat i'r dim yn wraig gweinidog: basat wir," meddai gan lafoeri chwerthin.

"Dos yn dy flaen, hogan, a gwna d'ora. Duwcs! Ella byddi di'n ferch i dy fam yn y diwadd!"

Teimlai'r eneth awydd sgrialu'n ôl i'w hystafell, gyda'i hyder unwaith yn rhagor wedi ei fygu gan gleber gwrthun ei mam.

Ond heb air o'i phen gwthiodd heibio iddi, gan roi clep ar y drws. Pwysodd arno am eiliad, i anadlu awyr iach i'w ffroenau, i'w glanhau o oglau'r persawr rhad a'r hen chwys a lynai wrth ei mam fel saim ar badell yn oeri.

Yna, sythodd a cherddodd yn frysiog o'r golwg. Edrychodd ar yr awyr. 'Roedd hi'n dechrau nosi ac un seren fach yn gwenu arni. Cododd ei chalon. Hi oedd piau hi ei hun am heno o leiaf. Pictiwrs neu'r Disco? Gallasai swatio yn y tywyllwch yn ei byd bach ei hun yn y pictiwrs ond beth pe bai un o griw y Bingo yn ei gweld? Ni chlywsai hi byth mo'i diwedd hi gan ei mam. Gwastraff ar gyfle fyddai ei dedfryd hi. Y Disco amdani hi, ynteu. Gallai yfed paned neu ddwy o goffi i basio'r amser a byddai Laura'n siŵr o ddod ati hi. Byddai twrw'r lle'n ei byddaru ond gwell hwnnw na'r radio adra a thremolo ei mam yn cystadlu ag ef.

Brysiodd i lawr y stryd mor ddidaro ag y medrai, heibio i dyrrau o fechgyn disgwylgar. Dechreuodd un llygadog chwiban wrth ei gweld yn nesu ond wrth iddi hi hercio ei phen a dechrau cochi, chwarddodd y lleill a throdd y chwiban yn rigian. Ychydig lathenni'n bellach, daliodd un arall ei droed yn slei o'i blaen a rhoddodd hithau gic daclus i'w ffêr, a'i ddiawlio poenus yn falm i'w nerfusrwydd.

Arhosodd mewn gollyngdod wrth ddrws y Disco, yna llithrodd drwyddo fel llygoden i dwll. Rhythodd o'i chwmpas. Yng nghanol y dwndwr a'r cleber, ni faliai neb yr un botwm amdani ac roedd hynny'n gysur iddi. Buan y cynefinodd ei llygaid â'r niwl poeth o'i chwmpas ac eisteddodd ar gadair wrth fwrdd gwag, gyda phaned o goffi ewynnog rhwng ei bysedd.

Byr fu'r hoedl.

"Haia! Dyma sioc! Beth ddoth â chdi allan o'th gragen, dŵad?"

Laura, ei ffrind yn y siop a'i cyfarchai,

ei breichiau ymhleth am ryw bolyn o hogyn swrth.

"Tyd at y criw i fancw, i ti gael tipyn o hwyl."

Tynnodd un fraich yn rhydd a gafaelodd yn Gloria a rhoi hergwd chwareus iddi hi o'i chadair. Gyda'r coffi'n slempian yn ei soser, dilynodd hwynt yn igam-ogam drwy'r dyrfa winglyd. Chware teg i Laura; gwnaeth ei gorau iddi ddod i adnabod hwn a'r llall ond er ei gwaethaf, ni allai ymlacio a theimlai fel estron yn eu canol. Teimlai ei geiriau'n sych ar ei thafod a'i chwerthin yn denau fel glasdwr yng nghanol yr hwyl bras o'i chwmpas. Er hynny dioddefodd y miri i'r eithaf i geisio dod yn un ohonynt. Teimlai fel brechdan wedi cyrraedd adra' ond gallodd osgoi cwestiynau awchus ei mam trwy ddianc i'r tŷ bach a chloi'r drws. Credai hi mai swildod y goncwest gyntaf a'i dirdynnai ac am unwaith yn ei bywyd, cafodd ras i gau ei cheg.

Digon tawel fyddai busnes yn y siop fore Llun a byddai cyfle i'r genethod gnoi eu cil dros ddigwyddiadau nos Sadwrn. Am y tro cyntaf, haeddai Gloria ei lle yn y gorlan, er mai tawel oedd hi yng nghanol y brefu. Pan ddaeth hi'n amser paned, gafaelodd Laura amdani a'i thynnu o'r neilltu.

"Yli, 'rydw i isio cael sgwrs hefo ti. 'Rydw i wedi bod yn constro amdanat ti. Wnei di ddim byd ohoni hi ar dy ben dy hun."

Eto fyth! Oedd Laura am ddechrau arni hi fel ei mam?

"Gwrando, wst ti Bob, yr hogyn 'na oedd hefo fi nos Sadwrn - ei gyfarfod o yn y Disco wnes i. 'Roedd o'n deud fod 'na ryw foi o ffordd hyn yn y gwaith hefo fo, Cymro hefyd. Mae o am ei slensio fo i ddŵad hefo fo yn y car nos Sadwrn nesa', i chdi gael dyn i chdi dy hun. Iawn, te? Boi distaw ydi o, medda fo. Dest y peth i chdi. Gei di weld, mi gei di hwyl iawn. Rhaid i ti ddysgu mentro, wst ti."

O diar! Oedd raid iddi hi gael hogyn wrth ei chwt i fod yn hapus? Oedd dim llonydd i'w gael? Ond 'roedd Laura'n wahanol i'w mam. Am wneud ei gorau i'w helpu yr oedd hi, a rhaid oedd iddi hithau beidio â bod yn ful. 'Roedd yn gas gan ei chalon feddwl am yr hogyn diarth yma, ond nid fedrai wrthod rywsut, rhag brifo teimladau Laura ac 'roedd hi'n ddigon buan i ddechrau poeni am nos Sadwrn rŵan.

Er hynny, gwibiodd y dyddiau heibio fel y gwynt a hithau'n difaru iddi gytuno â'r cynllun. Cwynai ei mam ei bod yn ddistawach nag arfer.

"Rwyt ti'n mynd fwy i dy gragen bob dydd," grwgnachai, "Welais i 'rioed dŷ mwy di-sgwrs, naddo wir, mae edrych arnat ti a dy dad ddigon â chodi'r felan arna i."

Amser te dydd Iau, 'roedd yn fwy o gingron nag arfer.

"Pwt o gerdyn gan yr hogyn Wayne yna. My Lord yn meddwl dŵad adra am ryw awr pnawn Sadwrn."

Siriolodd Gloria drwyddi.

"Digon hawdd i ti fod yn falch. Hel ei draed i fan hyn, heb unlle gwell i fynd mae'n siŵr, a disgwyl cael llond ei fol am ddim, mi dyffeia i o! Gaiff o weld peth arall. Codi ei bîls i fynd o 'ma, heb ddeud na bw na be, gynta doth o i gael pres del. Fel 'na mae plant; mae pawb yn deud. Dim byd i'w gael o'u crwyn nhw ar ôl bustachu i'w magu nhw. Mi rois i flynyddoedd gora' mywyd i chi'r diawlied."

Am unwaith, trodd Gloria fotwm y radio yn hytrach na gwrando arni hi'n paderuo a llyncodd y tsips llugoer cyn dianc i'w hystafell. Teimlai'n ysgafnach ei hysbryd. Fe fynnai gael sgwrs gyda'i brawd, doed a ddelo. Fe feddyliai am ryw esgus i'w gael i'w llofft fe fyddai'n siŵr o'i helpu i fynd oddi yma. Wrth ogor-droi'r syniad yn ei meddwl, gallodd anghofio ei phryder am yr hogyn

diarth a chynllun Laura ar ei chyfer.

Bore Sadwrn, amser brecwast, er mwyn heddwch, dywedodd wrth ei mam fod ganddi hogyn mewn golwg y noson honno, ond cyn iddi hi gael ei gwynt ati, siarsiodd hi:

"Waeth ichi heb â holi; chewch chi ddim allan ohona i. 'Waeth i chi roi gora iddi hi cyn dechra."

"Wyt ti ddim isio gair o brofiad?"

"Dim diolch, cadwch o i chi'ch hun," atebodd yn swta, "os bydda' i'n hwyr yn y siop, fydd gen i ddim gwaith na chyflog, a dim pres bingo i chitha."

Rhoddai beth o'i chyflog i'w mam er mwyn i'w thad a hithau gael llonydd yn y tŷ gefn nos. Sobrodd hithau drwyddi wrth feddwl am fywyd difingo a diflannodd Gloria o'i golwg fel haul tan gwmwl.

Pan gyrhaeddodd adre ychydig wedi chwech o'r gloch, clywai ei mam yn rhefru ar ei brawd am ei ddifaterwch tuag ati:

"Plant a dynion, rydach chi i gyd 'run fath."

Yr un hen diwn gron. Nid oedd taw arni. Llechai ei brawd tu ôl i'w bapur a llowciodd hithau ei the, gan geisio meddwl am esgus i gael ei brawd o'r gegin.

"Tyd ditha rŵan; brysia i fyta dy de, i ti gael golchi llestri cyn mynd allan."

Edrychodd ei brawd arni'n llawn diddordeb:

"O, i ble'r wyt ti'n mynd heno, ta?"

Cyn iddi gael agor ei cheg rhoddodd ei mam ei phig i mewn:

"Mae hi wedi cael hogyn o'r diwadd, cofia."

Brathodd yr eneth ei gwefus:

"O, byddwch ddistaw, Mam, oes 'na ddim llonydd i'w gael?"

Winciodd ei brawd arni ac fe'i claddodd ei hun eilwaith y tu ôl i'w bapur a llowciodd hithau ei the, gan ddal i geisio meddwl am esgus i gael ei brawd o'r gegin.

"Tyd i gael golwg ar y llyfr newydd 'rydw i wedi ei brynu," mentrodd ar ôl gorffen.

"Mae gen ti rwbath gwell na llyfr i feddwl amdano heno, 'does bosib," dechreuodd ei mam, ond torrodd Wayne ar ei thraws:

"Am funud ta; rhaid i mi ei chychwyn hi, wst ti, 'rydw i wedi trefnu i weld y boi sy'n gweithio hefo fi'n y dre'."

Yn y llofft, gafaelodd yn ei hysgwyddau, gan ei hysgwyd yn dyner:

"Rŵan ta! 'mechan i, pwy ydy'r boi 'ma sy gen ti? 'Does 'na ddim rhyw olwg hapus iawn arnat ti."

Cyfaddefodd Gloria'r gwir wrtho a'r rheswm iddi hi gytuno.

Edrychodd yntau'n dosturiol arni:

"Yli, del, rhaid i ti beidio malio dim mae Mam yn ddeud wrthat ti. Mi ddaw d'amser di! 'Rwyt ti'n dderyn bach digon handi ond dy fod ti â dy ben yn dy blu. Y peth gora i ti fasa i titha godi dy bac a mynd oddi yma i ti gael dysgu sefyll ar dy draed dy hun."

"Ond Wayne," chwarddodd, "dyna'r feri rheswm pam o'n i isio siarad hefo ti! Rhyfedd te?"

"Ys di be', hogan, mae gen i syniad; un da ydi o hefyd, ond mae'n rhaid i mi ei heglu hi rŵan neu chlywa i byth mo'i ddiwadd. Rhag i Mam synhwyro fod 'na ryw ddrwg yn y caws mi ffonia i di yn y siop ac mi drefnwn ni i gael sgwrs yn rhywle. Coda dy galon. Mae dy fywyd di o'th flaen di. Mi wela' i di."

Ac i lawr y grisiau ag o a thrwy ddrws y ffrynt cyn iddi hi gael ei gwynt i'w holi am ei syniad. Beth oedd y brys heno? Tybed a oedd ganddo fo gariad a ddim eisiau siarad am y peth? 'Roedd wedi edrych ymlaen gymaint at ei weld a chael siarad fel y byddent yn arfer cyn iddo fynd i ffwrdd. A dyna fo wedi mynd bron cyn iddi

sylweddoli ei fod o yno. Ond fe addawsai ffonio. Rhaid oedd bodloni ar hynny.

Edrychodd ar ei wats. Y Nefoedd Fawr! 'Roedd hi'n saith o'r gloch a hithau i fod i lawr yn y Cwpwrdd Cornel erbyn hanner awr. Chwysai wrth feddwl am y peth. 'Roedd ei bysedd yn fodiau i gyd wrth geisio rhoi trefn ar ei hwyneb a gwisgo amdani. Sut un fyddai'r hogyn yma, tybed? Beth ddywedai hi wrtho? Pam na allai hi glebran yn rhydd gyda hogiau diarth fel y gwnâi gyda'i brawd? O diar, chwarter wedi saith. "Rhaid i mi roi ras arni hi neu mi fydd Laura'n meddwl 'mod i wedi methu codi plwc a ddim am ddŵad." Am ei bod yn ben set arni, gallodd, er mawr ollyngdod iddi, ddianc rhag ei mam yn weddol ddisiapri.

Wrth duthio i lawr y stryd, teimlai'n ddiolchgar i Laura am ddewis y Cwpwrdd Cornel yn hytrach na'r Disco fel man cyfarfod.

"Mi fydd hi'n dawelach yno," oedd ei dedfryd, "i ti gael golwg iawn ar y boio wrth ben panad ac mi gawn ni drafod lle i fynd wrth ein pwysa'." Gobeithiai Gloria mai i'r pictiwrs yr aent iddi hi gael sbario chwilio am rywbeth clyfar i'w ddweud. O wel, ar ôl gweld Wayne, teimlai fwy o hyder; 'roedd ef yn gefn iddi, doedd a ddelo, felly fyddai'r byd ddim ar ben petai'r noson yn llanast.

Wedi cyrraedd caffi'r Cwrpwrdd Cornel, cymerodd gip drwy'r ffenest cyn mynd i mewn. Gwelai Laura â'r wên ryfeddaf ar ei hwyneb. 'Roedd cefnau'r ddau fachgen tuag ati ac edrychai un ohonynt yn debyg i rywun...

Rhoddodd hwb bwrpasol i'r drws a cherdded at y bwrdd. Safodd yn stond wrth ochr ei ffrind. Ei brawd, Wayne, a'i hwynebai, yn wên o glust i glust. Heb ddweud gair allan o'i phen, suddodd i'w chadair. Yna chwarddodd yn glanna farw. Yr holl bincio, yr holl bendroni a chonstro i ddod i gwrdd â'i brawd hi ei hun! Wel, am jôc! Hawdd y gallai Laura edrych yn rhyfedd!

"Oeddet ti'n gwbod yn y tŷ?"

"Dim ffiars o beryg, mechan i, ond mi mentrais di hi. 'Rydw inna'n falch o'r cyfle i dy weld ti ar dy ben dy hun. Mae gen i isio sgwrs iawn hefo ti."

"Wel, diolch byth," ochneidiodd Laura, "'roeddwn i'n ofni y b'asach chi'ch dau'n gandryll ac yn meddwl ein bod ni wedi gwneud ffyliaid ohonoch chi. Coblyn o dric yntê? Be' 'nawn ni rŵan? deudwch?"

"O! Peidiwch â phoeni dim amdanom ni. Mi fydd Gloria a fi'n iawn. Mi roedden ni isio rhoi'r byd yn ei le. Cerwch chi'ch dau am dipyn o hwyl. Mi wela' i di wrth y Disco am hanner nos, Bob."

Ac felly bu. Wrth yfed y coffi, dywedodd wrth ei chwaer:

"Rhaid i ti ddŵad o grafanga'r ddynes acw. Mae hi'n lladd d'ysbryd di. Mi fydd yna 'stafell wag yn y llety 'cw ymhen pythefnos, un o'r bois yn priodi. Mi hola i ynglŷn â hi drosot ti. Mi fedri fynd yn ôl ac ymlaen i'r siop bob dydd; mi gei di diced gweithiwr ar y bws. Mi roith hynny siawns i ti chwilio am swydd well. Mae 'na ddigon yn dy ben di, fasa' fo ddim yn ddrwg o beth i ti fynd i wella dy hun i'r Tec gyda'r nos."

Nid oedd pall ar y sgwrs. Gwelai Gloria'r byd yn ymagor o'i blaen. Ar ddiwedd y noson, trefnasant i gwrdd yr wythnos ganlynol i wneud paratoadau mwy pendant iddi hi symud oddi cartef. Cytunasant nad oedd i ddweud gair wrth ei mam tan y funud olaf.

Gwibiodd adref fel gwennol ac am unwaith, ni faliai'r un botwm am chwilfrydedd ei mam. O'r diwedd, teimlai'n ddigon cryf i'w hwynebu. 'Roedd yn ei haros yn ei choban ar ben y grisiau. Edrychodd mewn syndod ar lygaid gloyw ei merch a'r gwrid yn ei bochau.

"Mi gest hwyl, ta?"

"Hwyl ddwedsoch chi? Do, mi ges i hwyl; dyma noson ora 'mywyd i."

Llithrodd heibio iddi ac i mewn i'w hystafell a chloi y drws cyn i'w mam sylweddoli beth a ddigwyddasai.

Agorodd y fam ei cheg ac am unwaith yn ei bywyd, caeodd hi heb yngan gair. Yn annifyr ei byd, aeth yn ôl i'w gwely a rhoddodd bwniad i gefn ei gŵr. Daliodd yntau i chwyrnu cysgu. Gwawriodd y gwir arni: 'roedd y blydi lot wedi mynd allan o'i chyrraedd hi.

Margaret Pritchard

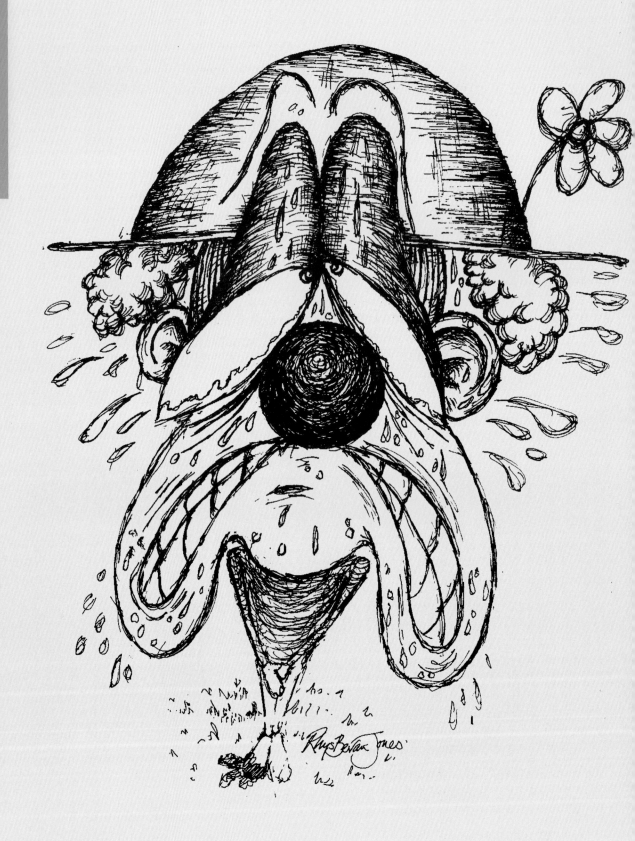

Y Clown

Wi'n dwmpath amlwg, tew a 'sneb 'run peth â fi 'ma. Ma' mhledren i'n gwasgu ac ma' Mam yn cloncan gyda Wil Puw.

> "Ma - am! ... Mam wi ishe mynd i pi-pi!"

> "O! pwy weiddi dros y ca' fel 'na ti'n 'neud grwt, a phwy nawr ti 'ishe mynd i'r tŷ bach? Dyle ti fod wedi mynd cyn i'r carnifal ddechre. Ma'n rhy hwyr erbyn hyn, a so ti'n câ'l tynnu'r dillad 'na bant ar ôl yr holl ffwdan es i drwyddo i'w rhoi nhw arnot ti. Wel, 'sda ti ddim i 'neud ond dala!"

Ar ganol y ca' eistedda'r ficer wrth ei ddesg fawr, frown. Pam na cha' i iste lawr a bod yn feirniad fel fe? Dyw e'm yn gorfod gwisgo dillad salw a sefyll fel ryw daten ddi-siap ar ganol ca'. Wi 'di blino! Ma' Beti Tŷ'n Ddôl sy'n blinio a llabyddio Nic y Ficer, ond sa i'n credu fod e 'di blinio o gwbwl. Hen bwdryn dioglyd yw e.

Ma' Beti Arian - fel y ma' Mam yn 'i glaw hi, yn rhoi ei chot amdani ac yn cerdded draw tuag atom yn tu hwnt o sidêt.

> "O, a beth ych chi Gwyn bach yn syposo bod 'te?"
> "Wi'n gwisgo lan fel clown!"
> "O neis ... neis iawn, ie, ie - reit ma' rhaid i mi fynd. Pob lwc i chi nawr."

Cerddai Beti Arian yn sidêt ac yn osgeiddig bob amser, fel pe pai hi'n berchen ar y carnifál. Wi 'di hen ddanto ar fod yn glown yn barod!

Wi'n cico'r cerrig mân o fla'n fy 'sgidie. Ma'r cerrig yn fach, yn fowr, yn neidio ac yn glanio. Ma'n nhw'n clecian yn gwmws fel danne' Dad pan mae e'n cysgu. Yn sydyn ma' arogol cig eidon yn llenwi'r lle a Mam yn cyrra'dd nôl gyda'i cheg yn llond bwyd.

> "Pryd ga'i fynd i bi-pi Mam?"

> "O gad dy gonan, wir. Ma'i biti fod yn amser i ti gystadlu, beth bynnag.

> 'Sdim llonydd i ga'l pan 'ti 'biti'r lle, nag o's wir."

> "Sa i am gystadlu ... Wi 'ishe mynd gartre."

> "Aros di manlle'r wyt ti, ne' fe gei di 'wi 'ishe mynd gartre gyda fi yn gro's dy din."

Dau o'r gloch prynhawn Sadwrn, diwrnod mart ond diwrnod carnifal 'fyd.

> "Finne'n lleidir, finne'n bwdin 'Dolig, finne'n dedi - fi, fi a fi bob tro, ond O na! - byth ti, Gwen. Finne'n 'neud ffŵl o fy hun. Finne'n arddangos fy ynfydrwydd i bawb. Beth wyt ti'n 'neud? Stwffo dy hun â chŵn po'th a chacenne."

Y dorf â'u llyged i gyd arnaf, yn cyd-frefu a browlan ymysg ei gilydd fel creaduried mewn 'stafell ddisgwyl lladd-dy.

> "A dyna lle wyt ti yn llanw dy fola!"

> "Wi'n rhy fach i acto'i - ha, ha, ha!"

> "Ti fydd yn gorfod gwisgo lan pan fydda i'n fowr, so ca' dy geg."

Fe gw'mpodd ei swch hi ryw dair modfedd, ac fe gerddodd hi bant yn ffroenuchel.

> "Cer 'de, sa i'n becso. Fydda i'n ennill a wedyn fyddi di'n jelos."

Disgw'l ... disgw'l ... ac o'r diwedd ma'r gystadleuaeth yn dechre. Siom! Dim cyntaf ... dim ail ... dim trydydd ... "gwell lwc tro nesaf, Gwyn, gwell lwc y flwyddyn nesa' Gwyn." Yr un hen gân 'to. Sa i'n lico carnifal. Wi 'di danto!

Ma 'Mam yn gosod ei chwpan te i lawr ar y llawr. Ma' hi'n ail ddechreu ffysan, yn rhoi pelen blastig goch y powdwr golchi drewllyd ar 'y nhrwyn, ac yn twtio 'mhenwisg. Wi'n symud 'y nghoese'n glosach at 'i gilydd.

"Dewch nawr blant, dewch i gystadlu, dewch ymla'n inni ga'l gweld eich wynebe bach pert."

Ma' boche coch Nic y Ficer yn sgleinio gydag awyddfryd. Heidia'r plant ymla'n fel gwenyn at bot mêl.

Protestiaf inne i ben y rhes. Ma' pawb mor wahanol ac yn edrych mor rhyfedd 'ma. Twm Caerdelyn sy' wrth fy ymyl yn frawl i gyd. Gwna'n shŵr fod pawb yn sylwi arno - yn arbennig y ficer.

"Dewch yn nes Gwyn bach. Peidiwch â chuddio tu ôl 'na."

Ma'r ficer yn trefnu pawb i'w lle fel arfer. Rhoddaf gam yn nes, cam rhy fawr a cham yn ormod. Mewn baw ci saif fy nhra'd! Wi'n gosod 'y nghorff yn stiff fel pocer, i geisio ca'l gwared ar bob teimlad annifyr, ond dyw e'm yn cil'o nac yn dileu 'run teimlad.

Ma'r bledren bron torri! Ond ar y funud honno ma' Twm yn chwerthin yn atseiniol o uchel, ma'r cythraul yn sylwi ar harddwch 'yn 'sgidie. Wi'n suddo yn ddwfn i'm gwisg, yn rhuthro'n ôl. Nid fi, ond Twm sy'n ca'l bachu'r tlws a dyw Mam ddim yn bles.

"Ma' rhaid i drwyn Twm bob amser fod ar fla'n trwyn pob un arall. Ni gyd yn gw'bod nawr pam ro'dd e' o hyd yn stwffo gwellt dan din y ficer, yn yr ysgol Sul - Sul d'wetha'. Yr hen 'sgilpyn slei. Gwaith Eiriona, ei fam, yw hyn i gyd, cred ti fi Gwyn."

Un gystadleuaeth i fynd, un ymdrech arall. Mam sy'n clebran a Mam sy'n gweud y drefn:

"Dere Gwyn bach - ti'n barod? Cofia di wenu nawr, a gwed diolch wrth y ficer pan ei di 'nôl y wobr 'na."

Wi'n codi 'nghoesê, yn nesu at y rhes; yn cyrra'dd y rhes. Sa i mo'yn cystadlu. Wi

'ishe mynd o 'ma, ond ma' 'mhledren boenus yn rhewi 'nghorff yn gaeth i'r ddaear. Ma'r houl yn gwenu'n llon. Ma' diferion gludiog y chwys yn trymhau 'y ngholur. 'Allai i'm godde' llawer mwy o'r aros diddiwedd 'ma. Wi'n ffaelu symud. Ma'r cynnwrf a'r cyffro'n cynyddu. Wi'n gweld Mam yn y pellter. Ma' hi'n t'wynnu'n awchus fel seren Bethl'em. Ma' hyn yn ormod. Ma'r amser yn prinhau. 'Sdim amser ar ôl.

"Ac yn drydydd yn y gystadleuaeth olaf hon - yn ennill gwobr arbennig o bunt pum-deg ma' ...

Gwyn Ifans Fronddrain!"

Ma'n rhy hwyr! Wi'n 'lyb! Sa i'n mo'yn y blydi gwobr!

Marc Jones